Grandes y pequeños

con arte nativo del Noroeste del Pacífico

Big and Small

with Northwest Coast Native Art

Originally published in English by Native Northwest
as *Big and Small*

ISBN 978-1-338-61223-3

10 9 8 7 6 5 4 21 22 23 24

Printed in the U.S.A. 40
First Spanish Scholastic printing 2020

Grandes y pequeños

con arte nativo del Noroeste del Pacífico

Big and Small

with Northwest Coast Native Art

SCHOLASTIC INC.

búho

mirlo americano

robin

oso

bear

salmón

salmon

águila
eagle

colibrí

hummingbird

garza

heron

cangrejo

crab

sol

sun

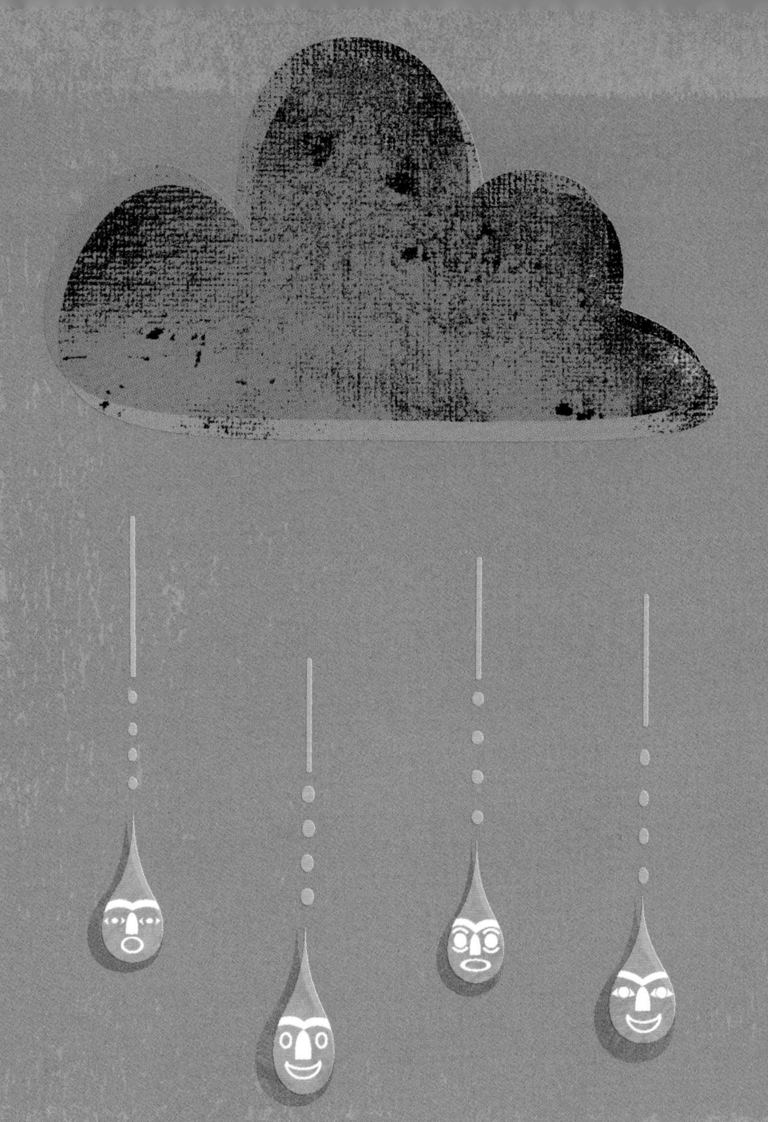

gota de lluvia
raindrop

rana

frog

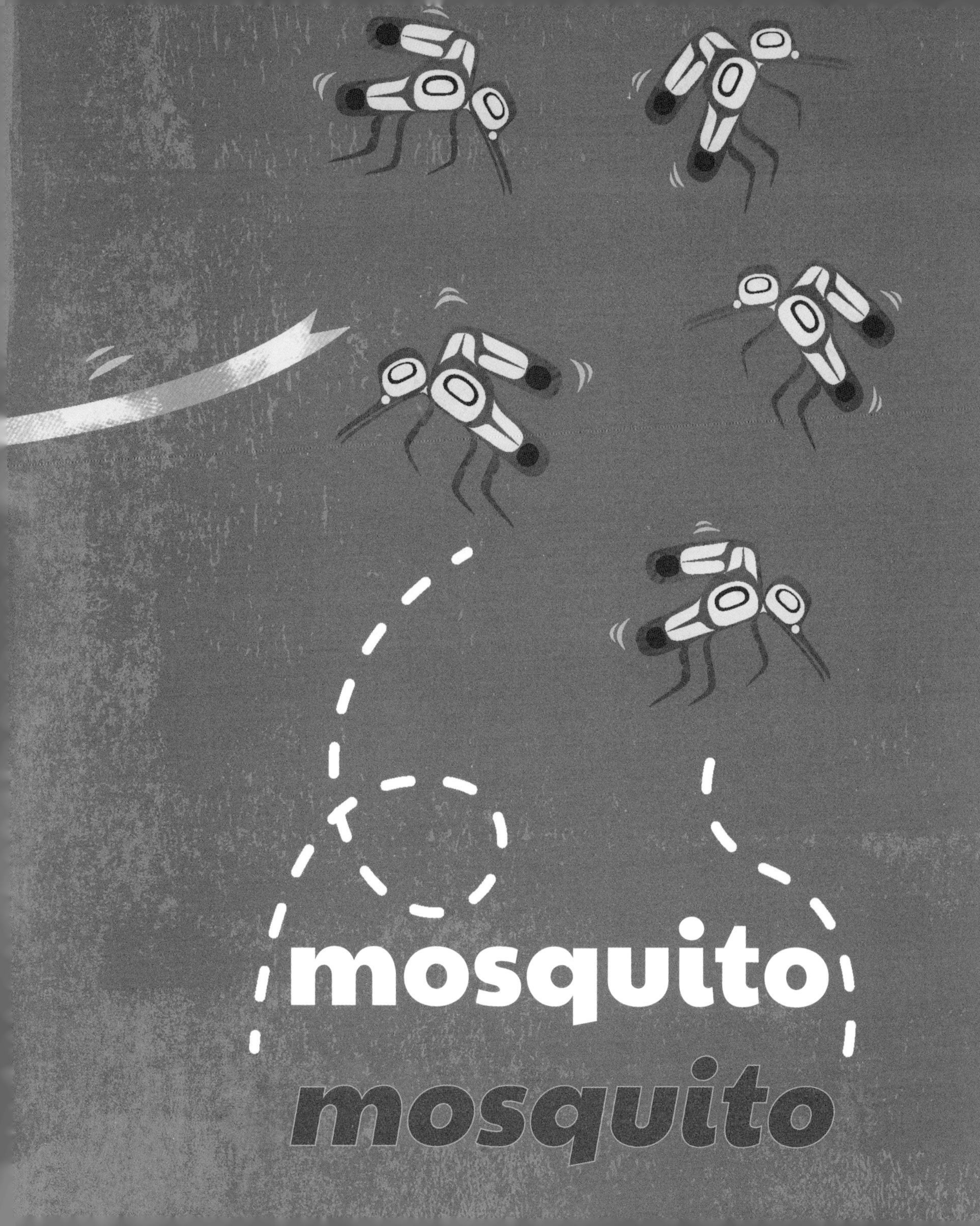

mosquito

mosquito

cisne
swan

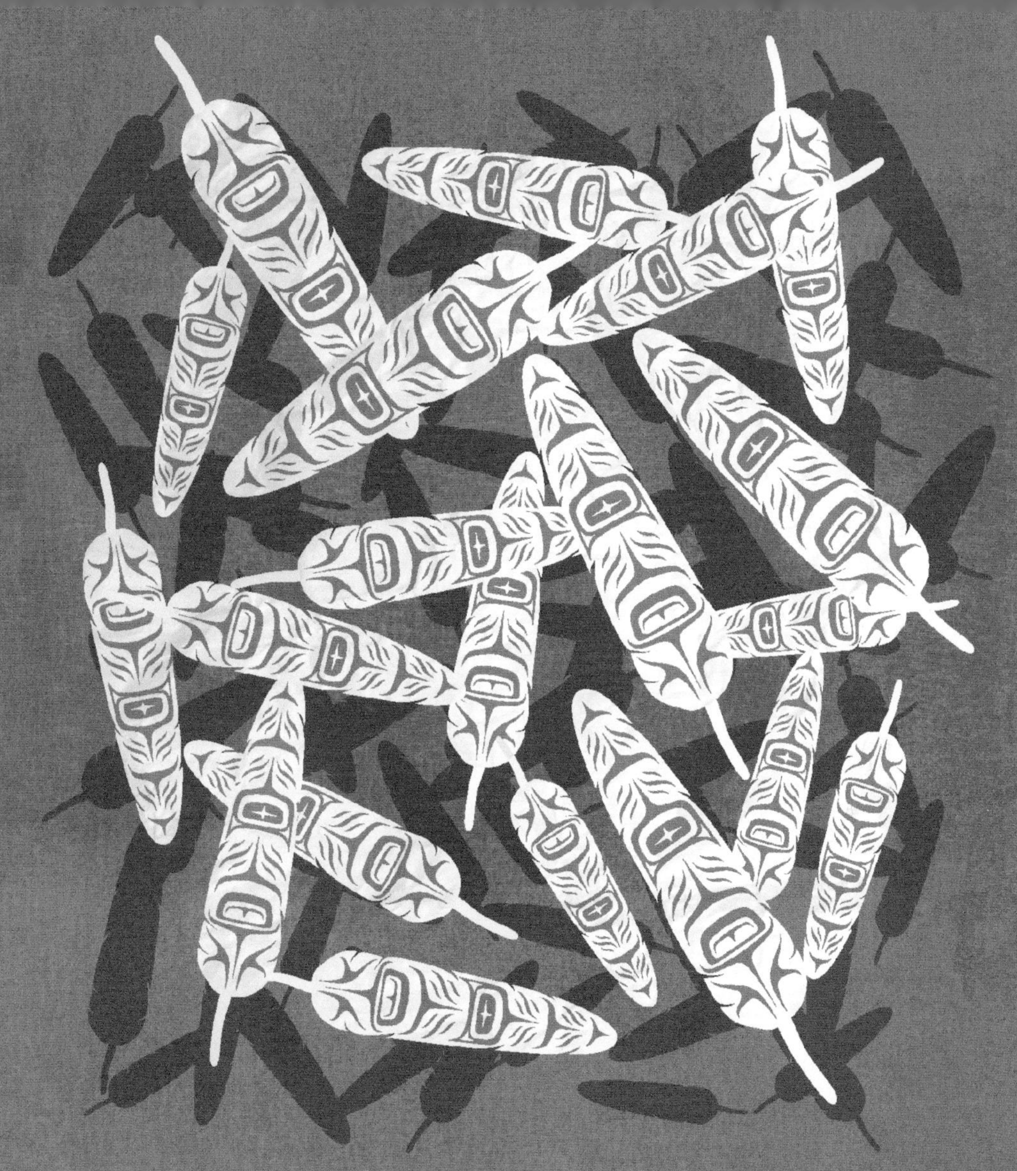

pluma

feather

ballena jorobada
humpback whale

pez

fish

Búho: El búho es un ave que caza animales para comer. Tiene pico, garras fuertes y ojos grandes. Casi siempre está despierto de noche.

Owl: *The owl is a bird of prey, which means it hunts animals. It has a strong beak, strong claws and big eyes. It's almost always awake at night.*

Mirlo americano: El mirlo americano es un pájaro cantor. Eso quiere decir que canta muy bonito. Tiene el pecho entre rojo y anaranjado.

Robin: *The robin is a songbird. That means it sings beautifully. Its breast has a reddish orange color.*

Oso: El oso es un animal grande que come plantas y animales. Hay muchas clases de osos, pero los más famosos son los osos pardos, los osos polares y los osos panda.

Bear: *The bear is a large animal that eats both plants and animals. There are many kinds of bears, but the most famous are the grizzly bears, the polar bears and the panda bears.*

Salmón: El salmón es un pez que se puede encontrar en todos los mares. Algunos salmones nacen en un río, viajan al mar y luego regresan, contra la corriente, al lugar donde nacieron.

Salmon: *Salmon is a fish that can be found in all the oceans. Some salmon are born in a river, travel to the ocean and then swim back, against the current, to the place they were born.*

Águila: El águila es un ave rapaz. Las águilas son grandes y fuertes. Tienen un pico largo y curvo. Sus ojos penetrantes les permiten ver a gran distancia.

Eagle: *The eagle is a bird of prey. Eagles are big and strong. They have large and curved beaks. Their powerful eyes help them see from a long distance.*

Colibrí: El colibrí es un pájaro que se alimenta del néctar de las flores. El colibrí agita las alas muy rápido para mantenerse volando en el mismo sitio.

Hummingbird: *The hummingbird is a bird that drinks the nectar of flowers. Hummingbirds flap their wings very fast to keep flying in the same spot.*

Garza: La garza es un pájaro de patas largas y pico largo. Las garzas viven cerca del mar o de ríos, lagos o pantanos.

Heron: *The heron is a bird with long legs and a long beak. Herons live near the ocean or rivers, lakes or swamps.*

Cangrejo: El cangrejo tiene cinco pares de patas. Las dos patas delanteras de los cangrejos son como pinzas que usan para atrapar alimentos o pelear.

Crab: *The crab has five pairs of legs. Crabs' front legs are like pincers. They use them to grab animals or to fight.*

Sol: El sol es la estrella que nos da luz, calor y vida. Está en el centro de nuestro sistema solar.

Sun: *The sun is the star that gives us light, warmth and life. It's at the center of our solar system.*

Gota de lluvia: Una gota de lluvia es un poquito de agua. La lluvia está hecha de muchas, muchas gotas de lluvia.

Raindrop: *A raindrop is a tiny drop of water. The rain is made up of many, many raindrops.*

Rana: La rana comienza la vida en el agua, como un renacuajo con cola. Luego, le salen patas traseras largas, ojos grandes y piel lustrosa. También pierde la cola.

Frog: *The frog starts life in the water as a tadpole with a tail. Then it gets long hind legs, big eyes and smooth skin. It also loses its tail.*

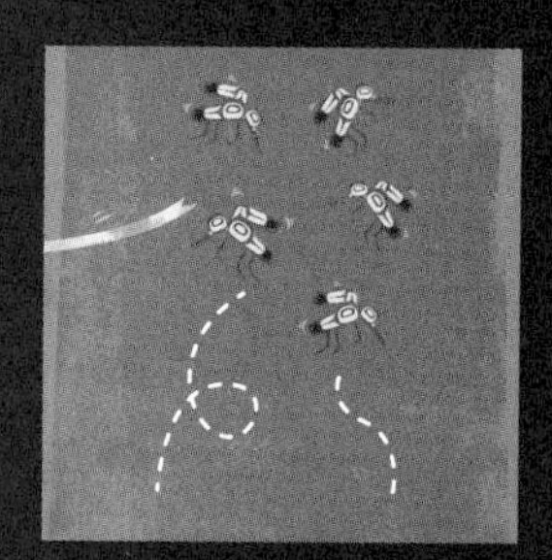

Mosquito: El mosquito, o zancudo, es un insecto muy pequeño. Muchos tipos de mosquitos se alimentan de sangre que chupan a animales más grandes.

Mosquito: The mosquito is a very small insect. Many kinds of mosquitoes feed on the blood they suck from larger animals.

Cisne: El cisne de Norteamérica es un pájaro blanco de grandes alas. A los cisnes les gusta pasar mucho tiempo flotando en el agua.

Swan: *The North American swan is a white bird with long wings. Swans like to spend a lot of time floating on the water.*

Pluma: Las plumas cubren el cuerpo de casi todos los pájaros. Las plumas ayudan a los pájaros a volar y los protegen del frío.

Feather: *Feathers cover the bodies of almost all birds. The feathers help the birds fly and keep them from getting cold.*

Ballena jorobada: La ballena jorobada es enorme y se encuentra en todos los océanos del mundo.
Le gusta saltar del agua y caer produciendo un gran chapuzón.

Humpback whale: *The humpback whale is enormous and it is found in all the oceans of the world. It likes to jump out of the water and fall back making a great splash.*

Pez: El pez es un animal que vive en el agua. Hay muchos tipos de peces. Los peces pueden respirar en el agua porque tienen branquias.

Fish: *The fish is an animal that lives in the water. There are many kinds of fish. They can breathe in the water because they have gills.*

Artistas nativos y de las Naciones Originarias de Canadá

First Nations & Native Artists

búho • *owl*

mirlo americano • *robin*

Ernest Swanson, Haida

oso • *bear*

salmón • *salmon*

Ben Houstie, Bella Bella

águila • *eagle*

colibrí • *hummingbird*

Corey Bulpitt, Haida

garza • *heron*

cangrejo • *crab*

Paul Windsor, Haisla, Heiltsuk

sol • *sun*

gota de lluvia • *raindrop*

Francis Horne Sr., Coast Salish

rana • *frog*

mosquito • *mosquito*

Ryan Cranmer, Namgis

cisne • *swan*

pluma • *feather*

Simone Diamond, Coast Salish

ballena jorobada • *humpback whale*

pez • *fish*

Ryan Cranmer, Namgis